幼儿版

十万个为什么

地球的奥秘

主编　黄双红

编写　杨小艳

河北出版传媒集团公司

河北少年儿童出版社

图书在版编目（CIP）数据

地球的奥秘 / 杨小艳编写 . -- 石家庄 ：河北少
年儿童出版社，2011.9
（幼儿版十万个为什么）
ISBN 978-7-5376-4380-1

Ⅰ．①地… Ⅱ．①杨… Ⅲ．①地球—儿童读物
Ⅳ．① P183-49

中国版本图书馆 CIP 数据核字（2011）第 173604 号

幼儿版十万个为什么　地球的奥秘

主　　编：黄双红
编　　写：杨小艳
责任编辑：孙卓然
插图绘制：李秋红
装帧设计：潘宝宝

出　　版：河北出版传媒集团公司
　　　　　河北少年儿童出版社
地　　址：河北省石家庄市中华南大街 172 号　　050051
印　　刷：北京联兴盛业印刷股份有限公司
发　　行：全国新华书店
开　　本：190 毫米 ×240 毫米　　1/12
印　　张：6
版　　次：2011 年 9 月第 1 版
印　　次：2015 年 1 月第 14 次印刷
书　　号：ISBN 978-7-5376-4380-1
定　　价：13.80 元

目录

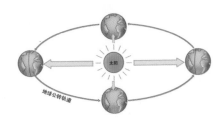

日 月 星 辰

风雨雷电

地球运动知多少

爸爸、妈妈和宝宝，请指出下面哪些现象是由地球**自**转引起的？哪些现象是由地球**公**转引起的？

● 不同地方时间有差异

● 春、夏、秋、冬四季的变化

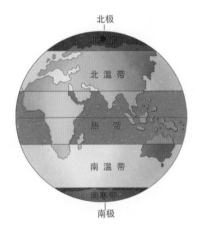

北极
北寒带
北温带
热 带
南温带
南寒带
南极

● 地球上的五带

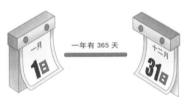

一年有 365 天

● 一年有 365 天

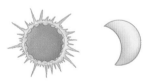

● 白天和黑夜

答案：地球自转引起我们说的现象：不同地方时间有差异，白天和黑夜；地球公转引起的现象：春、夏、秋、冬四季的变化，每年农村的变化，地球上的五带，一年有365天。

如果宝宝能说对 4 种以上，那恭喜您，您的宝宝是小博士。快把宝宝的照片贴在旁边吧！

1

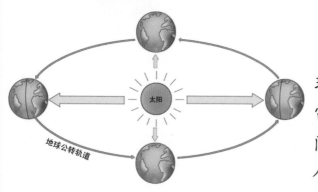

地球是 静止不动 的吗？

诚诚在和爸爸探讨关于地球的知识。"爸爸，地球在宇宙中是静止不动的吗？"诚诚问道。爸爸笑着说："地球就像个调皮的孩子，时刻不停地运动着。一方面，地球围绕太阳转动，叫地球的公转，地球公转一圈的时间是一年；另一方面，地球公转的同时，也在围绕自己的轴心不停地转动，这是地球的自转，自转一周的时间是一昼夜。"

想不到

地球是太阳系中的普通一员。在太阳系中，地球受到许多引力的作用，其中最主要的是太阳的引力作用，使地球绕太阳沿一定轨道转动。

为什么我们 感觉不到 地球在转动？

生活中我们常有这样的体验：我们坐在车上或船里的时候，只要车或者船行走得很平稳，我们就感觉不到它在运动。同样的道理，地球转动时也很平稳，还通过引力把我们紧紧地吸在地面上；又因为地球很大，我们没有可参照的对象，所以感觉不到它在转动。

想不到

地球不是按照均匀的速度自转，而是有些微差别的。科学家研究发现，地球质量的分布变化、空气流动、海洋洋流、地壳板块运动等都会影响地球自转速度的快慢。

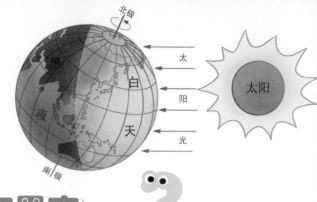

为什么
会有**白天和黑夜**

天黑了，大街上的路灯亮起来了。子潇好奇地问："奶奶，地球上为什么总是白天、黑夜不停地变呢？""那是因为地球自己在不停地自西向东转动，而地球的光来自太阳，地球又是不透明的。当地球的某一面转到朝着太阳的时候，就是白天；当转到背着太阳的时候，就是黑夜。地球从诞生那天起，就一直是这样，白天、黑夜不停地交替。"奶奶回答。

想不到

在南北两极的极圈以内，每年有一段时间会长期接受阳光照射，一天24小时都是白天，这种现象叫极昼。这里每年也有一段时间接受不到阳光照射，一天24小时都是黑夜，这种现象叫极夜。

为什么会有
春、夏、秋、冬

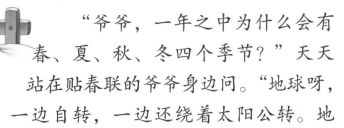

"爷爷，一年之中为什么会有春、夏、秋、冬四个季节？"天天站在贴春联的爷爷身边问。"地球呀，一边自转，一边还绕着太阳公转。地球公转时是歪着身子的，这样使地球的不同地方获得的太阳热量都不相同。于是，在我们生活的北温带地区，有时接受阳光直射，日照时间长，有时不能受到阳光直射，日照时间短，这就有了春、夏、秋、冬四个季节。"爷爷笑眯眯地说。

想不到

夏季是白昼和日照时间最长的季节,冬季则相反,春、秋属于过渡季节。世界各地一年四季出现的早晚和时间的长短是有较大差异的,只有在温带地区,四季的特征才表现得比较明显。

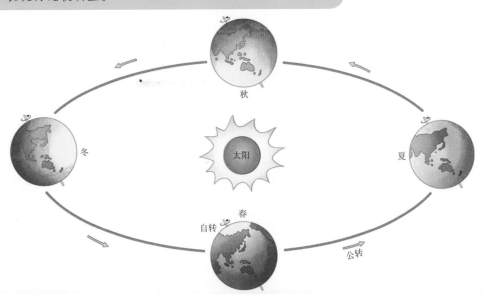

46亿年……

地球的年龄有多大了？

动物、植物，还有我们自己，都有年龄，那地球是不是也有年龄呀？如果有的话，它又有多大年龄了呢？地球当然也有年龄。科学家通过测算岩石中放射性元素的相关数值，发现地球已经存在46亿年了，现在地球处于壮年期，至少还有50亿年的寿命呢！

想不到

自古以来，人类就十分关心地球的年龄，但直到20世纪，科学家们才终于找到通过测算岩石中放射性元素来计算地球年龄的方法。

为什么说地球是蓝色的星球？

书上说，宇航员在太空中看到的地球是蓝色的，因此人们把地球叫作蓝色的星球，这是为什么呢？因为地球大部分的地方被海水覆盖着，海水占地球总面积的 71%。当阳光照到海面时，七种可见光中，蓝、紫色的光线很容易被反射、散射出来，其他几种颜色的光都被海水吸收了，所以地球看上去就是蓝色的了。

想不到

地球上总储水量约 15 亿立方千米，其中海洋水占 97.5%，其余才是淡水。而淡水中，冰川水占绝大部分，可供人类使用的淡水仅占地球全部水量的 0.007%。

海洋

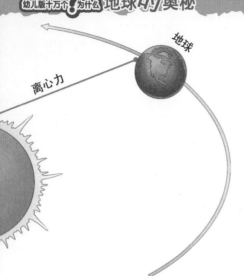

离心力

地球

太阳

地球 在空中
为什么 不会 掉下去

"爸爸，地球悬在空中，不会掉下去或飞了吧？"小建看着用绳子拴着的气球说。"你是担心地球会像气球一样，一不小心就飞走了，是吗？放心，不会的。地球受到许多引力的作用，这些力与地球运动产生的惯性离心力是平衡的，使地球绕太阳沿一定的轨道运行，完全不用担心会偏离轨道。"

想不到

一切物体沿曲线运动或者做圆周运动时都会产生的一种离开中心的力叫作离心力。当我们乘坐的汽车在行驶过程中拐弯时，我们会有要被甩出去的感觉，这就是离心力在起作用。

地球的 表面 有些 什么东西呢？

地球这么大，小朋友一定想知道它表面有些什么东西吧？地球表面的东西多着呢！地球上覆盖着海洋和陆地。陆地由山脉、河流、草原、森林、沙漠等组成，当然，还有我们人类在地球上建造的东西，如道路、楼房等。总之，地球上不但有着自然界本来就有的东西，还有许多我们人类创造的东西。

想不到

陆地表面起伏不平，有平原、山地、丘陵、高原和盆地等地形。各种地形交错分布在陆地表面，山脉在高原上形成山地平原，山脉围住平原或丘陵，又形成盆地。

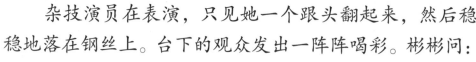

地球在转动，我们

为什么

不会被甩出去

杂技演员在表演，只见她一个跟头翻起来，然后稳稳地落在钢丝上。台下的观众发出一阵阵喝彩。彬彬问："爸爸，杂技演员这样翻起来，地球转动不会把她给甩出去吗？""当然不会了。地球有一种吸引力，能够把地球上所有的东西，如飞鸟、走兽、山川、湖泊，甚至空气，都紧紧地吸附在接近地面的一定范围里。我们人当然也不例外，是绝不可能被甩出去的。"爸爸笑着说。

想不到

质量越大的物体产生的吸引力越大。地球的质量很大，所以产生的吸引力足够把地球上的东西全部抓牢。其实，任何物体之间都会相互吸引，这种现象叫万有引力，是一位叫牛顿的科学家发现的。

地球 是 圆 的，为什么

眼前的路 却是平的呢 ？

"爸爸，地球是圆的，可这些路怎么是平的呢？"小迪看着平坦的大路问。"路是平的，这只是人的感觉。就像你从一个很大的球上取一小片，你会觉得这一小片是平的，而不是弧形的一样。地球很大，而眼前的路只是地球上很小很小的一部分，所以你会觉得路是平的。"

想不到

两千多年前，古希腊一位名叫亚里士多德的学者首先发现了地球是圆的。他说，海里的船从远方开过来，总是先看见船的桅杆，然后才看见船身，如果海面不是圆的，就不会这样。

地球

是什么样的？

阳阳转动着新买的地球仪问："爸爸，真正的地球是什么样的呢？"爸爸说："真正的地球呀，是一个表面高低不平的不规则的近圆形球体，球表面的大部分覆盖着海水，是海洋；另一部分露出水面，形成陆地。海洋和陆地是最主要的地形。海洋是连成一片的，而陆地却被海洋隔成了几大块。"

想不到

人们对于地球的形状是"球"形这一认识经历了相当长的过程。16世纪，葡萄牙航海家麦哲伦率领的船队完成了人类第一次环绕地球的航行，从而直接证实了地球是球形的。

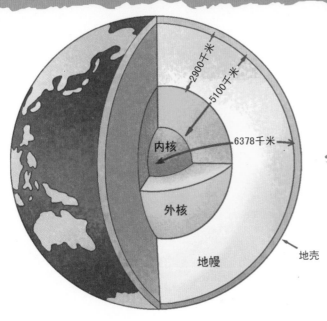

2900千米
5100千米
6378千米
内核
外核
地幔
地壳

人能够挖个洞到地球那边去吗？

望着火车窗外正在工作的石油钻井机，小斌好奇地问："爸爸，钻井工人钻井时会不会把地球给打通了？"爸爸说："地球是个实心球体，由地壳、地幔和地核三部分组成。地壳是地球最外面一层，平均厚度是 17 千米；中间层是地幔，约 2900 千米厚，目前世界上最先进的钻机也只能钻到地下 14 千米，所以，现在是不会把洞挖到地球那边去的，不过未来也许有人可以做到哦！"

想不到

地球的中间部分是一个炽热的金属地核，里面的温度非常高，约有 6000℃。地幔的温度稍低一些，约 3000℃。

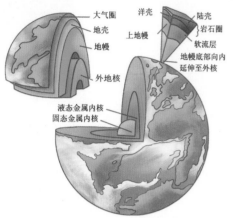

大气圈
洋壳
陆壳
地壳
上地幔
岩石圈
地幔
软流层
地幔底部向内
延伸至外核
外地核
液态金属内核
固态金属内核

小朋友们 在地球上 又蹦又跳，会把地球 跳坏吗？

当你在地球上又蹦又跳时，会不会担心把地球弄坏呢？其实，我们完全不必有这样的担心。地球可大了，从这头到那头，直径约有一万两千多千米呢！地球外面是很厚的岩石圈，里面还有厚厚的地幔和地核。别说我们又蹦又跳，就是那么多房子、工厂、桥梁盖在上面，那么多交通工具在行驶，它都承受得起！

地壳也存在着某些较薄弱或者地下岩石不够坚硬的地方。火山喷发，就是在地壳比较薄弱的地方发生的。造楼房、修大坝、建桥梁的时候，要是没有勘察好地基，地面也有可能会下沉的。

为什么 地球上 有植物、动物和人？

　　地球上生存繁衍着许许多多千姿百态的植物、各种各样的动物，还有我们人类，这是为什么呢？这是因为地球上有阳光、空气、水和适宜的温度，所有这些不仅提供了生命形成必须具备的条件，也提供了生命形成以后可以生存的环境，所以成为植物、动物和人类共同的美好家园。地球为我们提供了这么多，我们应该好好爱护地球和环境啊！

想不到

　　别的星球如果具备阳光、空气、水，也可能形成生命。那么，哪个星球会像地球一样，也出现植物、动物和人类呢？究竟有没有这样的星球？科学家正在寻找。

为什么一年有365天？

地球公转一周为一年

北极

地轴

赤道面

66.5°

南极

地球公转轨道面

地球自转一周为24小时

北极

赤道

地球自转的方向

南极

　　大人们经常说一年有365天，这是为什么呢？原来地球既自己转动，又绕着太阳转动。地球自转一圈是一天，绕着太阳转一圈则是一年。当地球自转365圈还多一点点时，恰好围绕太阳转了一个圈。也就是说，一年有365天多一点，但人们都习惯认为一年有365天。

想不到

　　地球一年自转365圈多一点儿，四年加起来多自转了一圈，就是366圈。因此，人们规定每隔四年有一个闰年。闰年为366天。

辨辨 天文现象

爸爸、妈妈和宝宝，请指出下面分别是些什么现象。

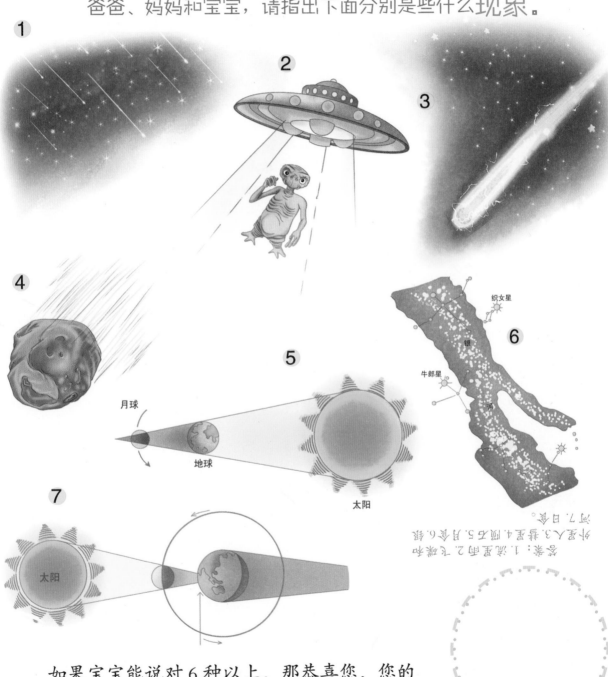

1

2

3

4

5

月球

地球

太阳

6

织女星

银

牛郎星

河

7

太阳

答案：1.流星雨 2.飞碟和
外星人 3.彗星 4.陨石 5.月食 6.银
河 7.日食。

如果宝宝能说对 6 种以上，那恭喜您，您的
宝宝是小博士。快把宝宝的照片贴在旁边吧！

宇宙究竟有多大❓

宇宙很大很大，大得到现在还没有人知道它有多大，它从哪里开始，到哪里结束。人类在地球上，肉眼能看见的太阳、月亮、星星都已经很大了，但它们还只是无边无际的宇宙中很小的一部分。宇宙究竟有多大，人类还在探索中。

想不到

宇宙是一个无限的空间，包括我们生活的地球和地球以外的一切天体。月亮离我们最近，宇宙飞船都要飞四天才能到达；如果要到我们看得见的远处的星星上去，得飞几千年或几万年呢！

银河是
一条河吗？

　　参观完天文馆，回家的路上，浩浩欢天喜地。爷爷逗浩浩说："你看见银河里有小朋友游泳了吗？"浩浩立刻严肃地回答："爷爷，银河不是河！晴朗的夜晚，我们看到的那条跨越整个天空的淡淡的光带，其实是很多星星聚在一起形成的。我们远远地看上去，发光的星星们就组成一条'河'了。"

想不到

　　银河系，是宇宙中一个大的星系，是由1000多亿颗大大小小的星球组成的天文体系。太阳是银河系中一颗普通的恒星，围绕银河系的中心不停地运转着。

太阳系家族里 都有谁

"爸爸，老师说，在太阳系里，地球还有好多的兄弟姐妹呢。太阳系家族都有谁呀？"阿江问。爸爸指着太阳说："太阳系是一个大家族。它以太阳为中心，由太阳、行星及围绕行星转动的卫星、小行星、彗星、流星等天体组成。这些太阳系家族的成员都沿着自己的轨道绕太阳在不停地运转着。"

想不到

在太阳系中，有八颗大的行星。按照到太阳的距离，从近到远分别是水星、金星、地球、火星、木星、土星、天王星、海王星。我们熟悉的月亮，是地球的卫星。

太阳为什么会发热？

　　小明被太阳晒得热乎乎的，于是问爷爷："爷爷，太阳为什么会发热呢？""太阳是一个燃烧着的巨大火球，会发光、发热。它含有大量的氢元素和氦元素。在高温、高压下，太阳上的氢元素和氦元素不断相互作用，发生剧烈反应，从而释放出大量的能量，太阳发出的光和热就是这样来的。"

想不到

　　太阳每秒钟释放出的能量约等于115亿吨煤炭燃烧产生的热量。如果从地球到太阳之间架起一座宽、厚均为3000米的冰桥，再把太阳发出的全部热量都集中在这座桥上，只要1秒钟，冰桥就能全部融化为水。

太阳有多大❓

太阳的直径：139．2万千米

地球的直径：1.276万千米

我们平时总是说太阳很大很大，可它究竟有多大呢？在所有的恒星当中，太阳的个头儿排在中间，它不是最大的，也不算是小的。只是因为太阳离我们最近，所以看上去才显得最大。太阳的直径约139.2万千米，如果把地球装进太阳里，可以装下130万个呢！

想不到

我们生活的地球够大了，可是与太阳相比，地球就显得太小了。太阳的质量约为地球质量的33万倍，太阳的体积约为地球体积的130万倍。

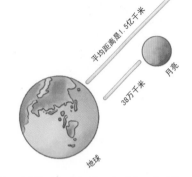

太阳离我们有多远？

"爸爸，嫦娥三号探测器花了几天的时间才到月球，那太阳离我们是不是就更远了？"子波问。"是呀，太阳离我们可比这要远得多了。太阳离地球的平均距离将近 1.5 亿千米，而月球离地球只有 38 万千米。太阳光从发出到抵达地球表面，得花 8 分多钟。人如果日夜不停地步行，要走 3500 多年才能到达太阳呢！"

想不到

农历十五的夜里，月亮看起来比太阳还大，其实，月亮的个头比太阳小得多，只是因为月亮离我们比较近而已。

23

太阳升起和落下的时候

为什么总是红彤彤的

看到刚升起的太阳，子豪问："爸爸，怎么太阳升起时总是红彤彤的呢？""其实太阳升起或落下时，都是红彤彤的。因为早晨和傍晚的太阳光射到地面时是斜射，穿过的大气层要比中午时厚一些，而这时只有红、橙、黄三种颜色的光可以穿过大气层到达地球，所以我们看到的太阳就是红色的。"

太阳光是由红、橙、黄、绿、青、蓝、紫七种颜色的可见光混合而成的。在这七种颜色的可见光中，红色光穿过大气层的本领最大，橙、黄光次之，而青、绿、蓝、紫色光最差。

为什么 冬天的 太阳 不如夏天的太阳热？

"爸爸，为什么冬天的太阳不如夏天的热呢？"晨曦问。"太阳一年四季总是一个样，只是太阳光照射地球的角度不同。地球本身是倾斜的，在公转的过程中总有不同的地方接受太阳光的直射。接受直射的地方温度高，那里就是夏季，没有直射的地方温度低，那里就是冬季。"

想不到

赤道把地球分为南半球和北半球，南、北半球的季节正好相反。中国在北半球。当中国是夏季的时候，南半球则是冬季，如澳大利亚。

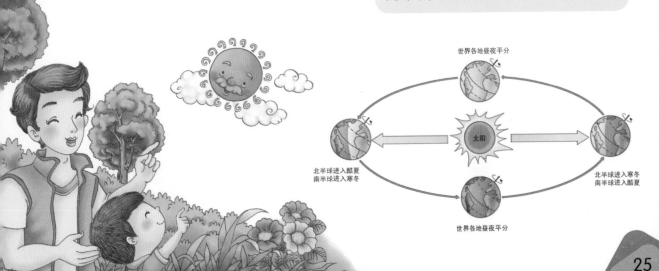

世界各地昼夜平分

太阳

北半球进入酷夏
南半球进入寒冬

北半球进入寒冬
南半球进入酷夏

世界各地昼夜平分

为什么 太阳 从东边升起来，从西边落下去❓

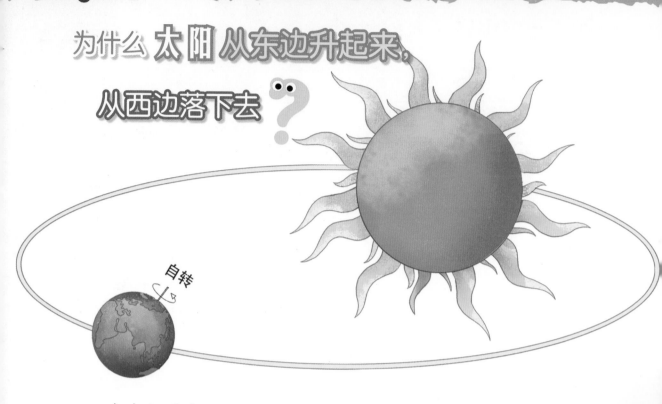

自转

在我们看来，太阳是个勤劳的家伙，每天天一亮就从东方升起，工作一天后，傍晚又从西边落下去了。其实，太阳在天空中并没有升起、落下，而是地球围绕太阳自西向东不停地自转，我们人在地球上看起来就好像是太阳在动。当我们这里太阳落山的时候，相对的地球的另一侧正好开始迎接太阳的到来。

太阳在赤道附近时，赤道附近的人看到的太阳是从正东方升起、正西方落下的；北半球的人看到的太阳是从东南方升起、西南方落下的；南半球的人看到的太阳是从东北方升起、西北方落下的。

地球上 没有 太阳 会怎样 ？

"妈妈，要是没有了太阳，地球会怎么样呀？"子洁问。妈妈语重心长地说："阳光、空气和水，是地球上一切植物、动物和人类赖以生活、存在的基本条件。万物的生长需要太阳，如果没有太阳，地球上的植物、动物和人类就无法生存，地球上的生命就会消失；如果没有太阳，地球就会变成一个冰冷、黑暗的世界。"

想不到

太阳每时每刻都在向地球传送着光和热，有了太阳光，地球上的植物才能进行光合作用。通过光合作用，植物向空气中释放出氧气，满足人和动物的需要。同时，植物还为人和动物提供了充足的食物。

27

月亮会自己发光吗？

"奶奶，今天晚上的月亮好亮呀！可是月亮的光为什么不热呢？"思思问。"傻孩子，月亮本身是不能发光的，它只是在反射太阳的光。晚上，当太阳在我们地球的另一边时，照不到我们，但仍然能够照亮月亮，所以，我们能够清楚地看到月亮，又以为它在发光。反射的光当然不热啦！"奶奶回答说。

直射　反射

想不到

恒星是由炽热气体组成的，是能自己发光的球状或类球状天体。太阳就是一颗恒星。而月亮只是地球的卫星。

月亮 为什么 跟着人走？

如果我们走在一片空旷、无树无房的原野上，就不会觉得"月亮跟着人走"，而是人走也好，不走也好，都看到月亮是静止在天空的。

跟爸爸、妈妈一起散步的媛媛突然叫起来："爸爸、妈妈，月亮也跟着我们在走呢！"你是否也有过这样的感觉呢？其实，月亮是不会跟着人走的。人走动时，离我们很近的东西会很快被我们甩到后面去。而离我们远的东西，好半天还能看见，看上去就像在跟着我们走一样。月亮离我们很远，所以人走动时看月亮的视角几乎不会变化，看起来就像月亮跟着人在走。

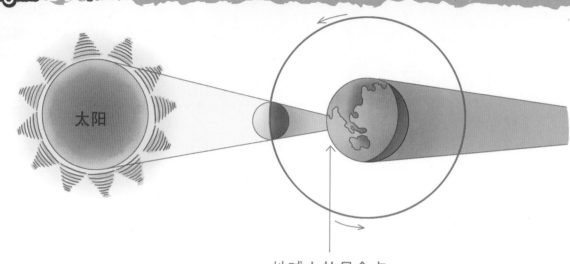

太阳

地球上的日食点

日食是什么❓

"爸爸，老师说过两天就要出现日食了。你能告诉我什么是日食吗？"可可问。爸爸回答说："当月球绕地球运行到太阳和地球之间时，如果太阳、月球、地球三者正好或接近排成一条直线，月球挡住了射到地球上的太阳光，看起来好像是太阳的一部分或全部消失了，这种现象就叫作日食。"

太阳光全部被月球挡住时叫日全食，部分被挡住时叫日偏食，每年日食最多发生5次，最少2次。

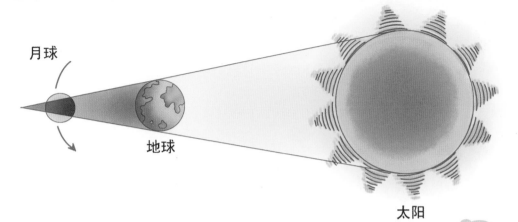

月球

地球

太阳

月食是 什么?

可可今天一整天都特别高兴,因为爸爸说好晚上带着她出来看月食。月食是怎么回事呢?月食就是月球运行到地球的阴影部分时,太阳、地球、月球三者正好或接近排成一条直线,地球挡住了射到月球上的太阳光,使得太阳的光不能射到月球上去,月球上出现了黑影,这种现象就叫作月食。

太阳光全部被地球挡住时,叫月全食;太阳光部分被地球挡住时,叫月偏食。月食一般发生在农历十五或十五日以后一两天。

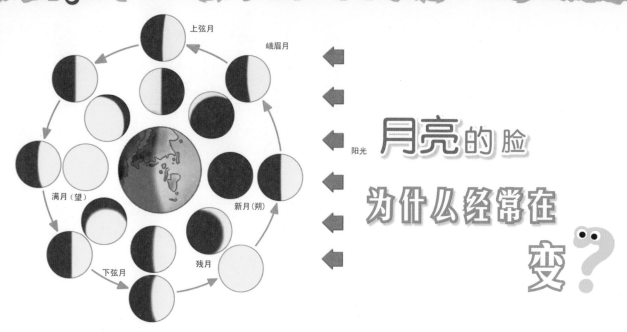

上弦月

峨眉月

阳光

满月(望)

新月(朔)

下弦月

残月

月亮的脸
为什么经常在
变？

月亮的脸经常变，有时像弯钩，有时又像圆盘，为什么会这样呢？原来，月亮自己不会发光，只能反射太阳的光。当它正好把太阳照亮的那部分对着地球的时候，地球上的人看到的月亮就像圆盘；当它只反射一部分太阳光到地球上的时候，地球上的人看到的月亮就像个弯钩或半圆形了。

月亮一个月绕地球转一圈。在这一个月里，随着太阳、月亮、地球相对位置的变化，月亮会经历由缺到圆、又由圆到缺的变化，这就是月亮的周期变化。阴历就是根据月亮的周期变化制定的。

月亮上真有

嫦娥和小白兔 吗？

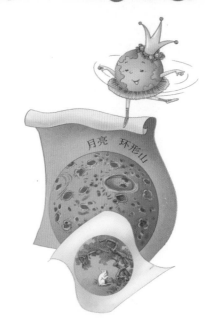

月亮 环形山

晚上，圣依和奶奶坐在院子里。看着圆圆的月亮，圣依天真地问："奶奶，故事书里说，月亮上有个广寒宫，里面住着嫦娥和玉兔。这是真的吗？"奶奶听后，微笑着说："那只是一个传说，是古代人们的想象。其实呀，月亮上到处都是光秃秃的环形山，没有水，也没有空气，更没有动物、植物，是一个寂寞荒凉的世界。"

想不到

中国民间对月亮有许多美丽的传说，如"吴刚伐树""嫦娥奔月"等。神话传说是人类文化的一部分，反映了古代的人们对月球的认识和向往，非常美丽，也富有想象力。

33

宇航员在月亮上为什么跳着走?

看到电视里的宇航员在月亮上跳着走路的样子, 你一定觉得很奇怪吧? 是的, 他们和我们在地球上走路可不一样。不过, 如果你游过泳的话, 宇航员在月球上走路的动作你就会很熟悉了。因为水的浮力把人托了起来, 所以人在水里走不稳; 同样, 因为月亮对人的吸引力小, 所以人在月亮上走起路来轻飘飘的, 就像跳着一样。

 想不到

月球对物体的吸引力只有地球的六分之一, 也就是说, 同样一个物体, 在月球上要比在地球上轻得多。所以宇航员从地球飞到月球上时, 最先感觉到的就是身体轻、走得快、跳得高。

星星为什么会眨眼睛

夏天的晚上，星空闪烁，那些星星还调皮地眨着眼睛。这是怎么回事呢？星星发出的光本来是沿直线传播的，但是在穿过冷热不均、厚薄不一的大气层时，发生了折射。光线一会儿向左，一会儿向右，一会儿强，一会儿弱，最后传到我们眼睛里，因此我们会觉得星星是忽明忽暗、一闪一闪的，好像在眨眼睛一样了。

大气层并不是均匀和静止不动的。阳光照在地球表面，不同地方就会有冷有热。热空气上升，冷空气下沉，这样就形成了空气的循环流动，使大气层动荡不定、冷热不均、厚薄不一。

35

天上的星星能数得清吗？

敏敏想知道天上有多少颗星星，爸爸陪着她在夜晚的公园里认真地数着。但其实，星星是数不清的。天文学家经过仔细计算，发现整个天空中肉眼能看到的星星有近 7000 颗。现代最大的天文望远镜已经能看到 10 多亿颗星星了。不过，这只是茫茫宇宙中很少的一部分。天上还有许多星星连天文望远镜也看不到呢！

10亿多颗星星

宇宙中的星星千差万别，它们的大小、质量、温度、颜色、年龄、寿命等都不相同。

织女星

银

牛郎星

河

天上 **真有**
一个牛郎、
一个织女吗

　　"奶奶，传说天上有一个牛郎和一个织女，他们被银河隔开，只有在每年的七月初七才能在鹊桥上相会，这是真的吗？"子阳指着天上的星星问道。奶奶笑着说："牛郎和织女呀，是我们中国古代美丽传说里的两个主人公。根据这个传说，人们又把天上的两颗星星分别命名为牛郎星和织女星。夏天晴朗的夜晚，银河东边那颗较亮的星就是牛郎星，银河西边那颗明亮的星就是织女星。"

　　牛郎星在天鹰星座，织女星在天琴星座，它们不但离我们地球很远，而且相互之间也隔得很远。如果要在这两个星球之间通电话，得16年才能听到对方的声音呢！

天上的星星 会掉下来吗 ❓

树上的果实熟了会掉下来，空中的雨滴也会掉下来，那天上的星星会不会也掉下来呢？在茫茫宇宙中，星星在自己的轨道上运行，它们距离地球十分遥远，地球对它们几乎没有吸引力，所以天上的星星不会掉下来！只有一些陨星，有时可能会误入大气层，降落到地球上。

想不到

我们看到的星星，大都是黄白色的。如果用望远镜观察星星，会发现它们有着各种各样的颜色。星星的颜色是由它本身的温度决定的。星星的温度不同，发出光的颜色就不同。

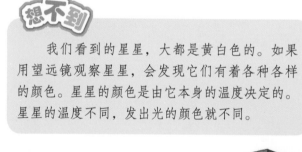

为什么星星
白天 都躲起来了？

晚上我们经常能看见满天的星星，可怎么白天都不见了，是躲起来了吗？当然不是。星星们呀，一年四季、不管白天还是黑夜都挂在天上。但是由于距离我们实在太遥远，它们的光在白天根本不能和太阳相比，在太阳光的笼罩下，我们就看不到星星了。只有晚上，没有了太阳光，我们才可以看见星星。

想不到

天上一闪一闪会发光的星星都是恒星。一颗普通的恒星，温度高达几百万甚至数亿摄氏度。在这么高的温度下，物质会发生反应并释放出巨大的能量。这些能量从恒星表面发射出去，星星就能在宇宙中闪闪发光了。

天上**的**星星会**撞车**吗？

"爷爷，天上的星星会一不小心撞到一块儿去吗？"悦然问。"一般是不会的，相撞的可能性很小。世界上所有东西都有一种吸引力，东西越大，吸引力就越大。天上的星星都有自己运行的轨道。它们一面飞奔，一面相互吸引；又因为星星彼此之间相距非常遥远，所以大多数星星都在自己的轨道上规规矩矩地'走路'，因此不会相撞。"爷爷手指星空，慢条斯理地讲解着。

想**不到**

除了太阳，比邻星是距离我们地球最近的恒星，可它与地球的距离还是很远。从地球上用最快的宇宙飞船去比邻星旅行的话，来回就得 17 万年。

什么是 流星雨 ？

老师说今晚有流星雨。那什么是流星雨呢？分布在茫茫宇宙中的小行星以及一些更小的天体和尘粒叫作流星体，当它们闯入地球的大气层时，会与大气发生剧烈摩擦，从而发光发热，形成流星。如果大量的流星体闯入地球大气层，天空某一区域短时间里会出现许多流星，看起来像是下雨一样，这种现象就叫流星雨。

想不到

绝大部分流星体高速闯入地球大气层时，会摩擦燃烧成灰烬。有一些质量较大的流星体没有燃烧完就落到地面，成了地球的"客人"——陨星。

为什么彗星

会有尾巴？

　　人类观察到彗星时，总能看见彗星拖着长长的尾巴，这是为什么呢？彗星是由水和各种气体的冰物质组成的小天体。它有彗核、彗发、彗尾三部分。彗核是由冰粒和宇宙尘埃组成。彗星远离太阳时没有尾巴，接近太阳时，彗核的冰粒受热蒸发成气体。气体受太阳风排斥，在彗星背向太阳的一面，就形成一条长长的尾巴，这就是彗尾。

想不到

　　彗星，俗称扫帚星，人们已发现绕太阳运行的彗星有1700多颗。彗星的尾巴总是背对太阳。彗尾是由很稀薄的气体组成，最长的彗尾可达8亿多千米。

天上真的能掉下大石头吗？

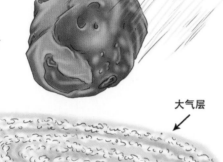

陨石

大气层

参观天文馆的时候，我们能够看到一种叫陨石的石头，它是从天上掉下来的。天上为什么会掉下石头来呢？其实，它们是那些闯入地球大气层的流星体燃烧之后留下的。大多数流星体在空中烧光了，那些没有烧尽的，就落到地面上，人们称这样的流星体为陨星，石质的陨星叫陨石。

想不到

陨星中，铁质的陨星叫陨铁，石质的陨星叫陨石，还有一种玻璃陨石。世界上最大的陨石是 1976 年降落在吉林市的"吉林一号"大陨石，重达 1770 千克。

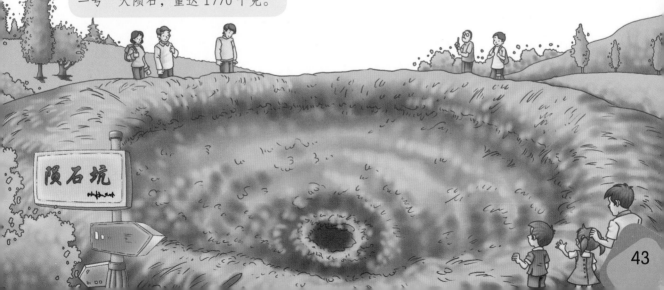

陨石坑

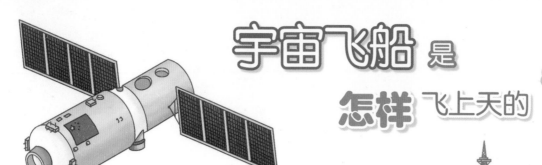

宇宙飞船 是 怎样 飞上天的 ？

2012年6月29日10点整，"神舟"九号宇宙飞船完成与"天宫"一号对接任务，载着三名航天员顺利地返回地球。那宇宙飞船究竟是怎样飞上天的呢？宇宙飞船是火箭带着飞上天的。火箭里面装满了燃料，燃料燃烧起来的时候，会产生强大的推动力，使火箭飞出大气层，将宇宙飞船送到指定位置。

2003年10月15日，"神舟"五号宇宙飞船载着宇航员杨利伟升上太空。他是中国第一个乘坐自己制造的宇宙飞船进入太空的人。

真的有外星人吗？

天文馆里，阿旭认真地听着讲解员阿姨的解说。"阿姨，到底有没有外星人呢？"阿姨说："外星人呀，其实是地球上的人们对地球以外智慧生物的统称。古今中外一直有关于外星人的猜想，在各国史书中也有不少疑似外星人的记载，但现在人类还无法确定是否有外星生命。"

想不到

有科学家认为，外星人是肯定存在的，只不过我们没有能力发现他们，我们的认知水平没有到那种程度。因此，科学家们利用人造航天器寻找外星文明的活动一直在进行之中。

飞碟是从别的星球上飞来的吗？

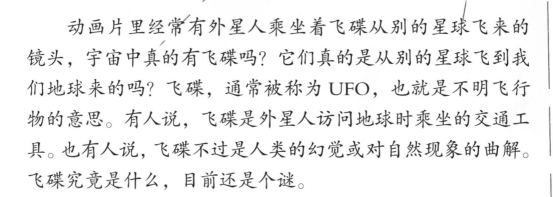

动画片里经常有外星人乘坐着飞碟从别的星球飞来的镜头，宇宙中真的有飞碟吗？它们真的是从别的星球飞到我们地球来的吗？飞碟，通常被称为 UFO，也就是不明飞行物的意思。有人说，飞碟是外星人访问地球时乘坐的交通工具。也有人说，飞碟不过是人类的幻觉或对自然现象的曲解。飞碟究竟是什么，目前还是个谜。

想不到

在各种资料和电影、电视片中，飞碟通常被描述成外形扁扁的、圆圆的，像个碟子或者球，飞行时会向各个方向喷射物质的东西，同时发出很强烈的亮光，飞行速度比火箭还要快。

认认常用天气符号

爸爸、妈妈和宝宝，你们能认出下面这些天气预报中常用天气符号吗？

1 2 3 4

5 6 7 8

9 10 11 12

13 14

答案：1.小雨中的雨 2.大到暴雨
图 3.阵雨图 4.雷阵雨 5.小雪 6.中雪 7.大
雪 8.雨夹雪 9.阴 10.晴 11.多云
12.浓冰 13.雾 14.大风

如果宝宝能说对8种以上，那恭喜您，您的宝宝是小博士。快把宝宝的照片贴在旁边吧！

为什么天是蓝的❓

　　兢兢被雨后美丽的景色吸引住了："天空真蓝啊！为什么会这样呢？"妈妈说："天空的蓝色是大气、冰晶、水滴等和阳光共同创造的。当太阳光通过空气时，太阳光中青、紫、蓝等蓝色系的光，很容易被大气中的冰晶、水滴等微粒向四面八方散射，使天空出现漂亮的蓝色。"

想不到

　　太阳光实际上是由红、橙、黄、绿、青、蓝、紫七种颜色的光组成的白色光。这七种颜色的光碰到大气、冰晶、水滴等时都会发生散射，但青、紫、蓝色光散射强度大。

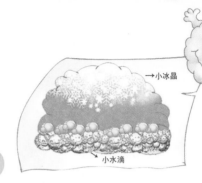

→小冰晶

小水滴

天空为什么会有云彩？

晓晓问："天空中的云彩像棉花糖一样，真美丽。我可以得到一块云彩吗？"奶奶说："云彩像棉花糖，但却不可以拿在手里。云彩就像锅里烧开水后冒出的水汽，在空中集成一片一片的。地面的水被太阳晒热后，变成水蒸气升入空中后，由于天空中温度降低，有的变成小水滴，到了五六千米的高空，小水滴又冻结成小冰晶。无数的小水滴和小冰晶聚集在一起，被上升空气托着，在空中飘来飘去，这就是云。"

想不到

如果周围的温度高于零摄氏度，水蒸气就会变成小水滴；如果周围的温度低于零摄氏度，则水蒸气就会直接变成小冰晶。只有有了云，才有可能产生下雨、下雪等现象。

天上的云彩 为什么变化多端？

云是一个有名的魔术师，形状变来变去。有时候，它像一只小猪，有时候像一只小狗，有时候像一座小山……在阳光、空气和水的作用下，云朵形成了。冷热不均的空气产生了风，风到处吹，云被风吹得到处乱跑，形状也发生了变化，所以人们就看到了各种形状的云了。

想不到

云的变化预示着天气的变化。民间流传的"朝霞不出门，晚霞行千里""棉花云，雨来临""天上钩钩云，地上雨淋淋"等许多关于云的谚语，都是人们通过云的形状来预测天气的经验总结。

白云在天上飘，为什么不会掉下来？

也许有小朋友会问，雨会从空中掉下来，可是云怎么不会掉下来呢？其实呀，云是由空气中飘浮的无数小水滴和小冰晶组成的，虽然很轻，也同样被地球吸引着，但由于它们被从地面不断上升的气流顶托着，抵消了地球的吸引力，所以能够在空中飘来飘去不掉下来。

想不到

地面的水蒸气凝结成小水滴，悬浮在接近地面的空气中飘来飘去，形成雾。而地面的水蒸气上升到空中后，凝结成小水滴和小冰晶悬浮在空中飘来飘去，就形成了云。

51

云 都是 白色的 吗 ?

乌云

白云

"爷爷，云为什么是白色的呢？"庆子问。"云并不都呈现出白色。当云层很薄时，阳光能够穿过它们到达地球，这时，云看上去就是白色的。但是当云层越来越厚时，阳光就不能或者很少能穿透云层，这时白云就变成乌云了。"爷爷一边比画，一边讲解。

想不到

根据云的颜色人们可以预知天气。如，当天空乌云密布时，就表示要下大雨了；当晴朗的天空飘着白云时，意味着天气会继续晴好无雨。

为什么夏天热 冬天冷？

冬天，映映跟着爷爷去公园散步。来到公园，映映冻得缩成一团，哆嗦着问："爷爷，为什么冬天这么寒冷，而夏天那么炎热呀？"爷爷回答说："夏天，我们北半球更接近太阳直射，地面获得的热量多，所以气温高，我们会感到炎热。而冬天恰恰相反，太阳是斜射到我们这里的，地面获得的热量少，所以气温低，我们就感到寒冷了。"

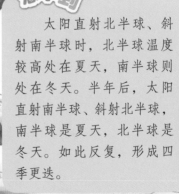

想不到

太阳直射北半球、斜射南半球时，北半球温度较高处在夏天，南半球则处在冬天。半年后，太阳直射南半球、斜射北半球，南半球是夏天，北半球是冬天。如此反复，形成四季更迭。

冬天 为什么 会 下雪？

《天气预报》说明天要下雪了，可为什么只有到冬天才会下雪呢？这是因为冬天温度低，地面温度在0℃以下，而高空云层的温度就更低了。云中的水汽直接凝结成小冰晶、小雪花，当这些雪花增大到一定程度的时候，气流再也托不住它们了，它们就从云层里掉到地面上来，就下雪了。

雪，洁白剔透，非常漂亮，自古以来，就有许多文学家和诗人描写雪。唐代的柳宗元就写过有名的诗《江雪》：千山鸟飞绝，万径人踪灭。孤舟蓑笠翁，独钓寒江雪。

雪 为什么会 融化？

冰

水

水蒸气

我们玩雪的时候，如果把雪放在手里一段时间后，雪就会变成水。如果雪被太阳晒一晒，也会逐渐融化。这是温度变化造成的。水有三种形态，固态的叫冰，液态的叫水，气态的叫水蒸气。雪实际上是由许多的小冰晶组成的，冰在0℃以上会融化，所以雪在温度高于0℃时就变成了水。

想不到

在雪上撒盐更容易使雪融化。在滴水成冰的寒冬，人们常用撒盐的方法，防止公路路面、机场跑道结冰。

雪为什么是白色的？

冬天，洁白的雪花漫天飞舞。你知道雪花为什么是白色的吗？这呀，都是光耍的把戏。自然界中各种颜色的出现，与物体对光的吸收或反射的多少有关。雪花是由许多冰晶组成的，这些冰晶能够把照射到自己身上的光全部反射出来，所以我们见到的雪花就呈现白色了。

想不到

如果某物体把照射到自己身上的可见光全部吸收了，没有剩余的光反射出来，则我们就见到该物体呈现黑色；如果某物体把照射上去的可见光全部反射出来，则我们见到该物体呈现白色。

为什么人们说"下雪不冷化雪冷"？

　　大人们常说"雪后寒"，就是指下雪天不一定冷，化雪天比下雪天更冷。这是为什么呢？原来呀，下雪往往是冷空气刚到达、天还不太冷的时候，等冷空气中心到达时，虽然天晴雪停，但温度降低了。另外，雪的融化要大量吸收空气中的热量，空气又向人夺取热量，人自然就觉得冷了。

想不到

　　水在固态的冰、液态的水、气态的水蒸气之间发生形态变化时，都要与外界交换热量。冰变成水、水变成水蒸气，要从外界吸收热量；水蒸气变成水、水变成冰，要向外界释放热量。

为什么天上会下冰雹？

冰雹经常在春夏之交和夏天的午后伴随雷阵雨出现。冰雹个头儿往往很大，会给农作物带来很大的危害，甚至砸伤人，砸坏房屋。

"妈妈，电视里说今天有个地方下冰雹，砸坏了好多东西。天上为什么会下冰雹呀？"宁宁问。妈妈回答说："当地表温度高的时候，水蒸气会急速上升到天空中很高的地方，而那些地方的温度远远低于0℃，使得水蒸气在那里快速凝结成冰粒。冰粒要往下掉，可是又被不断上升的热气流托上去了，这么反反复复好几次，冰粒越变越大，大到热气流实在托不住了，就掉下来，成了冰雹。"

为什么会打雷？

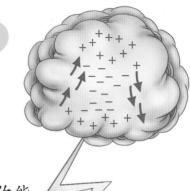

"薇薇，最近天天打雷。你能告诉爸爸为什么会打雷吗？"爸爸故意考薇薇。薇薇不慌不忙地说："天上的云带有正电荷或负电荷，当云中的正、负电荷分布不均匀时，就会产生很亮很亮的闪电，同时放出很多的热量，使周围的空气很快受热膨胀，并且发出巨大的声音，这就是打雷了。"

想不到

闪电和雷鸣是雄伟壮观而又有点令人生畏的自然现象，常伴有强烈的阵风和暴雨。一般来说，地面高的建筑物或者大树容易带电，所以打雷下雨时，我们不能在大树下避雨。

云

雨

小水滴

阳光照射

水蒸气   冷空气

天上 为什么 会下雨？

易鸣正和爷爷在家里玩，突然，外面渐渐沥沥地下起了雨。天上为什么会下雨呢？这是因为地面上的水受到阳光照射后，变成水蒸气升上了天空。当水蒸气遇到冷空气时又会变成小水滴，小水滴聚集到一起形成云。云里的小水滴多到空气托不住的时候，就变成雨落到地面上了。

中国降雨量最少的地方，是西北内陆的吐鲁番盆地、塔里木盆地和柴达木盆地等地方。而降雨量最多的地方是台湾省基隆港以南的火烧寮。

风是从哪儿来的？

"爷爷，外面又刮风了。风是从哪里来的呢？"娟子问。"无论什么风，它们的形成原因和过程都一样，都是由空气的流动形成的。由于阳光的照射，使得地球表面某些地区上空的空气受热上升，四周的冷空气流过来进行补充。阳光又把新来的冷空气晒热，这些热空气又往上升，又有新的冷空气来补充。这样，促使空气不断地运动，风就这样产生了。"爷爷笑眯眯地解释道。

中国是东面临海，冬天，陆地上的空气比海洋上的空气冷得快，陆地上的气压比海洋上的气压高，所以冬天刮西北风。夏天，海洋上的气压比陆地上的气压高，就刮东南风。

什么是 龙卷风？

电视里报道，美国南部和中西部地区在 2011 年 5 月间发生了数百场龙卷风，造成了很大的人员伤亡和财产损失。什么是龙卷风呢？龙卷风就是从云中伸向地面的一种小范围的强烈旋风。它的外形像一个大漏斗，出现的时间较短，往往只有几十分钟，最长的也只有几小时。它的破坏力很强：在陆地上，能把大树连根拔起，毁坏各种建筑物和农作物；在海洋上，能把海水吸到空中，形成水柱。

想不到

龙卷风发生的范围不大，一般不超过 1000 米，而风速却高达 100~200 米 / 秒。龙卷风一般发生在春夏之交或夏秋之间。

天空中为什么会出现彩虹？

望着雨后的彩虹，真真叫了起来："奶奶，为什么会有这么美丽的彩虹呢？"奶奶回答说："下过雨后，有太阳的天空中才会出现彩虹。太阳光是由红、橙、黄、绿、青、蓝、紫七种颜色的光组成的。刚下过雨后，有许多微小的水滴飘在空中，这些小水滴就像许多面小镜子，把太阳光中七种颜色的光折射出来，再经过反射，就形成了彩虹。"

想不到

自己在家也可以做一道漂亮的彩虹。在肥皂泡中加几滴油，用小吸管吹出泡泡，在每一个泡泡上都可以看到一道彩虹。

为什么 先看见 闪电 后听到 雷声 **?**

大雨即将来临。突然，几道闪电划过，接着是轰隆隆的雷声。为什么下雨时总是先看到闪电后听见雷声呢？闪电和雷声其实是同时出现的。但光的传播速度很快，而声音的传播速度则相对较慢。闪电是以光的速度传播的，雷声则是以声音的速度传播的，所以人们总是先看到闪电后听到雷声。

闪电是"光"，光的传播速度是每秒30万千米；雷鸣是"声音"，声音在空气中的传播速度是大约每秒340米。光的传播速度要远远大于声音的传播速度。

深秋或冬天的早晨，
为什么 房间的窗玻璃上有水珠？

昨晚气温低，小钧盖上厚被子了。早上，刚起床的小钧看见窗户上有许多小水珠，一摸玻璃，发现满手都湿了。咦，这是为什么呢？原来，晚上我们睡觉时，不但嘴和鼻子呼出了一些水蒸气，而且身上也会散发出一些水蒸气。深秋或冬天的晚上，室外的气温低，室内这些温暖的水蒸气碰到冷冰冰的玻璃时，就会形成我们看到的这些小水珠。

想不到

如果你细心观察会发现，在生活中，有很多水珠产生的例子。如从冰箱里拿出来的冰棍，过一会儿，冰棍的包装纸上就会出现一层细小的小水珠。

夏天或秋天，为什么早晨看到草地上、滑梯上都是湿漉漉的

　　每天早上到幼儿园后，西西总要玩一会儿滑梯，可是经常发现晚上没下雨，但滑梯还有草地上都湿漉漉的。难道是谁洒了水吗？当然不是，这些水呀，其实是露水。夏天和秋天的时候，白天气温高，所以空气中的水蒸气也多。到了晚上，特别是天快亮的时候，气温降得比较低，这些水蒸气就会结成细小的水滴附着在一些物体上，使得它们湿漉漉的。

想不到

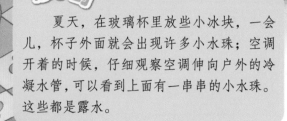

　　夏天，在玻璃杯里放些小冰块，一会儿，杯子外面就会出现许多小水珠；空调开着的时候，仔细观察空调伸向户外的冷凝水管，可以看到上面有一串串的小水珠。这些都是露水。

为什么会有雾？

听见妈妈叮嘱爸爸："今天雾大，上班时开车慢点儿。"京京立刻问："为什么会有雾呀？"爸爸说："秋天和冬天的夜晚没有云，风小的时候，接近地面的空气中水蒸气很多，遇到空气中的浮尘和颗粒，就会变成小水滴附着在上面，使我们看不清近距离的物体，这就是雾。云是天上的雾，雾是地面的云。它们都是水蒸气受冷后形成的，只是出现在了不同的地方。"

想不到

雾一般在清晨出现。雾的形成必须具备三个基本条件：一个是接近地面的空气中的水蒸气含量丰富，另一个是地面的温度低，再一个是要有凝结核。

北方住着许多冷空气吗？

世界地图

电视上的天气预报员总是说"一股从北方来的冷空气今天上午到达我市了"。难道北方住着许多冷空气吗？如果你对地图很了解就知道，中国的北方，是蒙古国、俄罗斯的西伯利亚地区，再往北就是北极。那里冰天雪地，空气当然也非常冷，所以北方的确是"住"着许多冷空气的。如果这些冷空气吹到我们这里来了，我们这里就要下雪或者降温了。所以，气象台一知道有冷空气要来，就发布消息，让我们做好防寒防冻的准备。

天气预报

想不到

北冰洋地区冬季黑夜漫长，白昼很短，有的地方甚至太阳从不露脸蛋。因此，地面获得的太阳热量十分微弱，所以很冷很冷，气温在 $-70℃$ 左右。